びっくり迷宮博物館
世界の妖怪をさがせ!

グループ・コロンブス編

WAVE出版

もくじ

中華街のエリア
（妖怪でにぎわう大飯店）8・9ページ

劇場のエリア
（オペラ座にまぎれこむ妖怪）6・7ページ

原生林のエリア
（大河にあらわれた妖怪）

古城のエリア
（晩さん会をたのしむ妖怪）4・5ページ

迷路の形がなんだか、「どくろ」みたいだぞ！まよわずに進めるかな！？

スタート

洞窟のエリア
（財宝をまもる妖怪）12・13ページ

晩さん会をたのしむ妖怪

ここはバンパイア、ドラキュラ伯爵のすむ古城のなか。
多くの妖怪たちがあつまって、楽しげに食事をしているぞ。

パレスマルト
体は半分、うでもあしも1本だけの妖怪。旅人をわなにかけて、しめ殺すという。

グリンディロー
かっぱ（河童）にちかい妖怪で、子どもを水中にさそいこんで食べるといわれる。

ルー・カルコル
その触角から出るねばねばの粘液で、人間をつかまえて食べてしまう。

しんじつのくち（真実の口）
ローマにある大理石の神の顔。うそをついた人の手を食いちぎるという。

フランケンシュタイン
死体からつくりだされた怪物。身体中に縫い目があり、みにくい姿をしている。

レーシィ
いたずら好きな精霊。世界各地の森にすみ、老人の姿であらわれることが多い。

バンパイア
人や動物をおそい、生き血をすう。お話に登場するドラキュラ伯爵は、特によく知られる。

もっと見つけてみよう！
● オオカミ男が、いすにすわっているぞ。どこかな？
● 蝶ネクタイをしたドラゴン「アルクラ」を見つけよう。
● 蝶ネクタイが3本、ワイングラスが4個あるぞ。
● 部屋のなかには12本のろうそくがともっている。どこだろう？

オペラ座に まぎれこむ妖怪

たくさんの観客が見つめるなか、舞台では主人公が美しい声でうたっている。だが、目をこらすと、なにやら怪しいものたちがいるぞ。

ペッテネッダ
かみの毛がいつもぐちゃぐちゃにもつれた、井戸のなかにすむ鬼婆妖怪。

バンシー
すさまじい泣き声をあげる。声は死の予告だといわれ、だれからも恐れられている。

クエグレ
うでには手も指もなく、ギラギラと光る3つの目をもつ怪物。子どもをさらうという。

ブギーマン
好き嫌いしたり、人をいじめたりするなど、悪いことをする子どもを連れさってしまうという。

ミノタウロス
頭がウシ、体が人間の姿をした怪物。凶暴な性格で、人を食べるという。

ジン
煙が出ない黒い炎から生まれた魔人。動物や炎などいろいろな姿に変身することができる。

まじょ（魔女）
世界各地にいて、子どもを悪魔の生けにえにしたり、人を殺して食べたりするという。

もっと見つけてみよう！

- バンパイアが、オペラグラスで見ているぞ。
- ヘビは何匹いるかな？ ネコも見つけよう。
- プラットアイ（がい骨）が3体いる。どこかな？
- 観客席に「ミイラ男」と魔女「メデューサ」がいる。

妖怪でにぎわう大飯店

いいにおいにさそわれて、大飯店は今日も祭りのような大にぎわい。お腹をすかせた妖怪たちもぞろぞろとあつまってきたようだ。

けいてん（刑天）
首から上がなく、目と口が胸についている巨人。戦いで首を切りおとされた。

キョンシー〈4人いるぞ〉
死体のある場所や墓場にあらわれる。人を追いかけたり、さらったりする吸血ゾンビ。

イエティ
全身が毛でおおわれた怪物。身長が2〜3m、体重が200kg以上あるという。

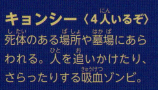

そうりゅう（相柳）
9つの顔をもつ大蛇妖怪。体から毒を出し、川などをくさい沼地にかえてしまう。

トッケビ
いたずら好きな小鬼妖怪。姿を消したり、旅人をおどろかせたり、人や鬼に化けたりする。

きりん（麒麟）
龍のような頭と、馬のような体をしている。きりんを見たものには幸運がおとずれる。

いちもくごせんせい（一目五先生）
大きな1匹だけに目がある妖怪。であう人のにおいをかぎ、その人を病気にしてしまう。

もっと見つけてみよう！
- きんと雲にのった「そんごくう（孫悟空）」は、どこだろう？
- ネコが5匹、ツバメが3羽いる。見つけよう。
- パンダがいすにすわってササを食べているぞ。
- 胴から頭がはなれて飛びまわる、妖怪「ひとうばん（飛頭蛮）」は、どこ？

大河にあらわれた妖怪

妖怪たちがざわざわとあつまり、ジャングルを流れる川がさわがしくなってきた。

● スタートからゴールまで、川迷路を進もう。何にであうかな？

ブカヴァッツ
つのがある6本あしの怪物。恐ろしい声をあげ、ねらったえものをしめ殺す。

ヤクママ
南米のアマゾン川にすむという大蛇妖怪。大きな口で、人を丸飲みにしてしまう。

ラミア
上半身は女性、下半身はヘビの体をしている。子どもを食べる恐ろしい妖怪という。

→ ゴール

アナシン
クモの姿をしたいたずら好きの妖怪。クモの巣の糸をつむいで物語をつくる。

エル・クエロ
通りかかった人をおそい、その生き血をすいとる、巨大なウシの皮の化け物。

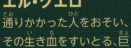

グリーンマン
全身が葉っぱや枝でおおわれた妖怪。「葉の仮面」などともよばれる。

クルル
人魚のような半魚人の姿をした水の精霊。家や家族をまもってくれるという。

もっと見つけてみよう！
● 大きな耳を羽ばたかせて飛ぶ、妖怪「チョンチョン」が3匹いるぞ。
● 毒グモのタランチュラが4匹、人食い魚のピラニアが6匹いるぞ。見つけよう。
● カメは何匹いるかな？
● かっぱ（河童）のような姿の妖怪「グリンディロー」が、水辺にいるぞ。

財宝をまもる妖怪

洞窟を進み、重い石の扉をひらくと…、そこには黄金に輝く財宝がねむっていた。この財宝をまもるのは何もの?

トコロシェ〈2匹いるぞ〉
とてもくさく、たいていは毛むくじゃらの体をしている。姿をかえることもできる小人妖怪。

インプンドゥル
羽ばたきひとつで嵐を巻きおこすという鳥妖怪。病気を広めたり、人を殺したりする。

チュパカブラ
イグアナにて、背中にするどいとげがならぶ妖怪。ヤギの血を吸血鬼のようにすう。

ドラゴン
空を飛び、口からは炎や毒の息をふきつける怪物。古い城や洞窟をねぐらにしている。

マンプブニョルのきょじん〈巨人〉
大きな石の巨人。その昔、戦いに出かけた7人が岩になったという伝説がある。

ばく〈獏〉
ゾウやライオンなどいろいろな動物の特徴をもつ幻獣妖怪。悪い夢を食べてくれるという。

グレムリン〈3匹いるぞ〉
機械にいたずらしたり、人にいやがらせしたりする妖精。チューインガムが好物という。

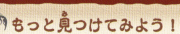

もっと見つけてみよう!
- 上半身が女性、下半身はヘビの尾をもつ妖怪、「ラミア」がいるぞ。
- コウモリが4匹、ヘビが6匹かくれている。どこかな?
- 魔法のランプが3個ある。見つけよう。
- 死人の妖怪「ミイラ男」が2人いる。

難破船にすみつく妖怪

大きな波や強い風に洗われる難破船にも、さまざまな恐ろしい怪物たちがすみついているようだ。

クラーケン
タコの姿をした強大な怪物。長い触手で船を海中に引きずりこんだり、人を殺したりする。

ダンダン
船を丸ごと一飲みにしてしまう怪物妖怪。その恐ろしさは船乗りたちに伝わっている。

ドラウゲン
あらしの夜に海中から姿をあらわし、さけび声をあげながら船をしずめるという。

ホック・ブラス
大型の船を飲みこんでも空腹がおさまらないという、大食いの巨大怪物妖怪。

にんぎょ（人魚）〈3人いるぞ〉
半魚人の姿をしている。家族をまもってくれるという水の精霊。

ネッシー
スコットランドのネス湖にすむという巨大な怪獣。長い首と尾をもつ。

リヴァイアサン
巨大な海ヘビの怪物。怒りだすと、その力で世界のすべてが大波に飲みこまれるという。

もっと見つけてみよう！
- 大空をかける天馬「ペガサス」がいる。
- がい骨の頭部のどくろが5個、カモメが5羽、見つかるかな？
- おや、「まじょ（魔女）」がほうきにのってやってきた。どこだろう？
- 大きな丸いたるは、何個あるかな？

密林にかくれすむ妖怪

サルがほえ、鳥が鳴く熱帯の森のなかに、がさごそとうごめくものはなんだろう？よく目をこらすと、妖怪たちが…。

きゅうびこ（九尾狐）
尾が9本ある狐妖怪。とてもかしこく、姿をかえたりして人をよくだますという。

マンドレイク
人の姿をした、野菜の妖怪。引きぬこうとすると大声を出し、抜いたものを気絶させる。

ナギニ
腰から上が女性、腰から下がヘビの姿をしている。美人ですぐれた知恵をもつという。

プゴット
頭がなく、くさいにおいをさせながら人を追いまわすという怪物。

ガージス
ジャングルにすむ多くの生きものたちをえじきにする、トラの姿をした怪物。

シュラーレ
いたずら好きな一本角の妖怪。人をつかまえ、死ぬまでくすぐりつづけるという。

アルクラ
大きな体をもつドラゴン。翼を広げると空をおおいつくしてしまうほどという。

もっと見つけてみよう！
- カメレオンが2匹、鳥が3羽いる。どこかな？
- おや、日本の妖怪「おに（鬼）」が2匹にらんでいるぞ。
- サルとヘビとカエルは、何匹ずついるかな？
- 全身葉でおおわれた森の妖精「グリーンマン」はどこ？

仮装パーティーに あつまる妖怪

ハロウィンのはじまりはじまり。
おおぜいの子どもたちもいろんな衣装を
身につけてお化けに変身だ！
おや、よく見るとほんものの化け物も。

ミイラ男〈4人いるぞ〉
人が死んだあと、怪物になって
復活。墓をあらしたり、人をお
そったりする。

ゾンビ〈2人いるぞ〉
「生ける死体」とよばれ、街中を
歩きまわる。ホラー映画などに
登場する。

メデューサ
頭にたくさんの毒ヘビが
うごめき、見たものを石
にかえてしまう魔女。

ミイラユック
北の国にすむイヌイット族の伝説に出てくる妖怪。冷たい氷の下にくらしているという。

サスクワッチ
全身が毛でおおわれた巨人。歩いたあとに、大きな足あとがのこる。

トロール
毛深く、みにくい姿をしている。しかし、魔法がつかえ、自分を自由にかえることができる。

ゴーレム
泥でつくられ、つくった主人の命令だけを忠実にきくロボットのような怪物。

もっと見つけてみよう!

- ほうきをもっている子どもが3人いるぞ。どこかな？
- がい骨の衣装を着ている子がいる。何人いるかな？
- 孫悟空のなかま、カッパの「さごじょう（沙悟浄）」とブタの「ちょはっかい（猪八戒）」はどこ？
- 大きな鎌をもっている子は何人？

ツリーをかざる妖怪

クリスマスツリーのかざりつけにやってきた妖怪たち。
右と左の絵を見くらべるとちがうところがある。どこかな?

●ちがうところを12かしょ見つけよう。

ポンティアナック
子どもを見つけるとつかまえて血をすうという、恐ろしい女吸血妖怪。

スリー・シスターズ
若い3姉妹の姿をした大きな石の怪物。悪霊からまもるために石にされた。

ピスキー〈2人いるぞ〉
ふだんは透明で姿が見えない小人の妖精。頭に四葉のクローバーをのせると見えるという。

オオカミ男
ふだんは人とおなじようにくらすが、満月の夜になるとオオカミに変身して人をおそったりする。

ノーム〈2人いるぞ〉
ずんぐりした小さな体をした、地をつかさどる妖精。地下にうまる金銀などをまもるという。

ゴブリン〈4匹いるぞ〉
小柄な体で、家にすみつく妖精。人をからかったり、おどろかせたりする。

アルマス

長い毛で全身がおおわれた、二足歩行の巨人。めったにその姿を見ることはないという。

もっと見つけてみよう！
- どくろのかざりが3個、どこかな？
- 家畜の頭の骨をかぶった、邪悪な魔術師「レガロウ」がいるぞ。
- コウモリのような翼をもつ空飛ぶ怪物「ローペン」はどこ？
- 人の姿をした野菜妖怪「マンドレイク」もいる。

妖怪をさがせ！のこたえ

◎迷路のこたえ

緑の線のように、スタートから
ゴールまで進む。

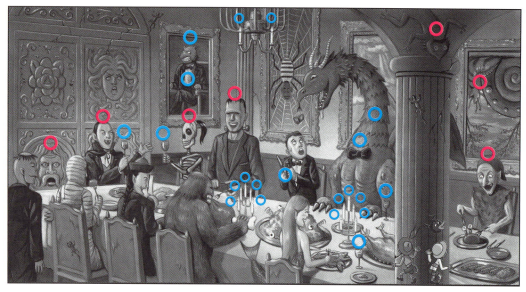

◆晩さん会をたのしむ妖怪（4・5ページ）

◎見つける妖怪のこたえ

パレスマルト、グリンディロー、ルー・
カルコル、レーシィ、しんじつの
くち、バンパイア、フランケンシュ
タイン
　　　　　○をつけたところ。

◎もっと見つけてみよう！のこたえ

オオカミ男、アルクラ、
蝶ネクタイ（3）、ワイングラス（4）、
ろうそく（12）
　　　　　○をつけたところ。

◆オペラ座にまぎれこむ妖怪（6・7ページ）

◎見つける妖怪のこたえ

ペッテネッダ、バンシー、
クエグレ、ブギーマン、
ミノタウロス、ジン、まじょ
　　　　　○をつけたところ。

◎もっと見つけてみよう！のこたえ

バンパイア、ヘビ（9）、ネコ、
プラットアイ（3）、ミイラ男、
メデューサ
　　　　　○をつけたところ。

＊ヘビは全部で9匹。

◆妖怪でにぎわう大飯店（8・9ページ）

◎見つける妖怪のこたえ

けいてん、キョンシー(4)、イエティ、そうりゅう、いちもくごせんせい、トッケビ、きりん
　　　　　○をつけたところ。

◎もっと見つけてみよう！のこたえ

そんごくう、ネコ(5)、ツバメ(3)、パンダ、ひとつばん
　　　　　○をつけたところ。

◆大河にあらわれた妖怪（10・11ページ）

◎迷路のこたえ

緑の線のように、スタートからゴールまで進む。

◎見つける妖怪のこたえ

ブカヴァッツ、ヤクママ、ラミア、アナシン、エル・クエロ、グリーンマン、クルル
　　　　　○をつけたところ。

◎もっと見つけてみよう！のこたえ

チョンチョン(3)、タランチュラ(4)、ピラニア(6)、カメ(5)、グリンディロー
*カメは全部で5匹。○をつけたところ。

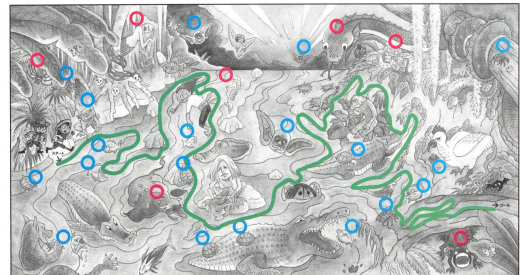

◆財宝をまもる妖怪（12・13ページ）

◎見つける妖怪のこたえ

トコロシェ(2)、インプンドゥル、チュパカブラ、ドラゴン、マンプブニョルのきょじん、ばく、グレムリン(3)
　　　　　○をつけたところ。

◎もっと見つけてみよう！のこたえ

ラミア、コウモリ(4)、ヘビ(6)、ランプ(3)、ミイラ男(2)
　　　　　○をつけたところ。

23

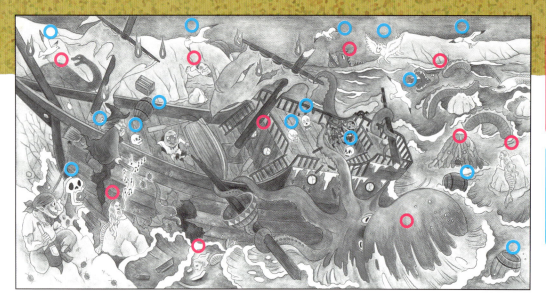

◆難破船にすみつく妖怪(14・15ページ)

◎見つける妖怪のこたえ

クラーケン、ダンダン、ドラウゲン、ネッシー、ホック・ブラス、リヴァイアサン、にんぎょ(3)
　　　　○をつけたところ。

◎もっと見つけてみよう！のこたえ

ペガサス、どくろ(5)、カモメ(5)、まじょ、たる(3)
　　　　○をつけたところ。
＊たるは全部で3個。

◆密林にかくれすむ妖怪(16・17ページ)

◎見つける妖怪のこたえ

きゅうびこ、マンドレイク、ナギニ、プゴット、ガージス、シュラーレ、アルクラ
　　　　○をつけたところ。

◎もっと見つけてみよう！のこたえ

カメレオン(2)、とり(3)、おに(2)、サル(3)、ヘビ(2)、カエル(3)、グリーンマン
　　　　○をつけたところ。
＊サルが3匹、カエルが3匹、ヘビが2匹。

◆仮装パーティーにあつまる妖怪(18・19ページ)

◎見つける妖怪のこたえ

ミイラ男(4)、ゾンビ(2)、メデューサ、サスクワッチ、ミキアユック、ゴーレム、トロール
　　　　○をつけたところ。

◎もっと見つけてみよう！のこたえ

ほうきの子(3)、がい骨の子(3)、さごじょう、ちょはっかい、鎌の子(2)
　　　　○をつけたところ。
＊がい骨の子が3人、鎌の子が2人。

◆ツリーをかざる妖怪（20・21ページ）

◎まちがいさがしのこたえ
○をつけたところ。

◎見つける妖怪のこたえ
ポンティアナック、スリー・シスターズ、ピスキー（2）、オオカミ男、ノーム（2）、ゴブリン（4）、アルマス
○をつけたところ。

◎もっと見つけてみよう！のこたえ
どくろ（3）、レガロウ、ローペン、マンドレイク
○をつけたところ。

もっと妖怪をさがせ！（32ページ）の　こたえ

1…アルクラ

2…オオカミ男
3…フランケンシュタイン

4…てんぐ（天狗）　5…ぎゅうまおう（牛魔王）

6…コカトリス

7…フック

8…アメミット　9…おに（鬼）

10…そんごくう（孫悟空）

11…プラットアイ

北ヨーロッパ

ムーシュヴェリ（アイスランド）
「ネズミクジラ」ともよばれ、するどい歯と、むちのような長い尾をもつ。

ピスキー（イギリス）
いたずら好きの妖精。赤いかみと、とがった耳をしている。

トロール（ノルウェーほか）
夜行性で光が苦手でみにくい姿をしている。未来を見通す力がある。

クラーケン（ノルウェーほか）
海深くにすむタコの怪物。長い触手をつかって、人も船も海の底に引きずりこむ。

ドアル・クー（アイルランド）
「水のなかの猟犬」とよばれ、陸と水中を移動して、えさの人間をさがす。

グリーンマン（イギリス）
全身が木の葉や枝でおおわれた、森の精霊。

アンテロ・ヴィプネン（フィンランド）
長いあいだねむりつづけている巨人。体には木々がそだち、森のようになった。

レーシィ（ウクライナ）
旅人を……、森の精霊……などをし……

イクトゥルソ（フィンランド）
いろいろな病気をつくりだすという、海にすむ恐ろしい化け物。

リントヴルム（ノルウェーほか）
人を丸飲みにしてしまう大蛇。墓地などのさみしい場所にあらわれる。

ホック・ブラス（フランス）
大飯食らいの怪物。大きな帆船を飲みこんでも、まだ足りないくらいの食欲のもち主。

ゴブリン（オランダほか）
人をからかったり、おどろかせたりする。いろいろな姿をしている。

ヨーロッパ

タッツェルブルム（オーストリア）
頭はネコ、体がヘビのような姿をしている。口から毒のけむりをはく。

アウフホッカー（ドイツ）
森にすみ、ねらった獲物にとびかかり、のどを切りさくという。

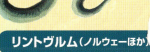

クエグレ（スペイン）
手も指もなく、ギラギラと光る三つ目で子どもをおそう怪物。

ルー・カルコル（フランス）
ねばねばした触角で人をつかまえて食べる、カタツムリ妖怪。

ゴーレム（チェコ）
泥からつくられ、魔術によって命をあたえられた怪物妖怪。

ノーム（スイス）
長いひげを生やした老人の姿をしている。地をつかさどる妖精。

南ヨーロッパ

フランケンシュタイン（スイス）
お話のなかに登場する怪物。墓場からぬすんできた死体からつくられた人造人間。

ブカヴァッツ（クロアチアほか）
さけび声をあげながら、ねらった獲物をしめ殺すという。

真実の口（イタリア）
うそをついた人が、この神の口に手を入れると、食いちぎられてしまう。

ミイラ
包帯で……るまき……が、怪……活した……

魔女（ドイツほか）
魔法をつかって、人の心をあやつる。ほうきにのって空を飛んだりする。

ラミア（リビア）
頭と上半身が人の姿をした、子どもを食べる恐ろしい人食い怪物。

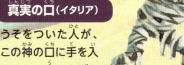

アンフィスバエ
2つの頭をもつへ……毒をだすキバを……

アフリカ

アナンシ（ガーナほか）
かしこくていたずら好き。世界中の物語をみなに語って楽しませるという。

ジェングー（カメルーン）
美しい女性の水の精霊。うやまう者には幸運をもたらし、病気からまもってくれるという。

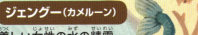

グローツラング（南アフリカ）
巨大なゾウのような姿をした怪物。洞窟でダイヤモンドをまもり、盗賊をむさぼり食うという。

トコロシェ（南アフリカ）
小人の死霊。毛むくじゃらな体で、いつもくさいにおいをさせている。

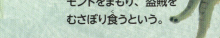

世界の妖怪マップ

北アメリカ

サスクワッチ（カナダほか）
背の高さが、大人2人分よりも大きな巨人。寒さに強く、全身が毛でおおわれている。

ストーン・ジャイアント（アメリカ）
アメリカの先住民の伝説に登場する、岩の服を着た巨人。

プラットアイ（アメリカ）
死んだ人をきちんと埋葬しないとあらわれる、死者の霊の妖怪。

ミキアユック（カナダ）
海中にすむ、全身が毛だらけの怪物。船のロープをからませたりして、人をこまらせる。

ブギーマン（アメリカほか）
毛むくじゃらな小さな体の妖怪。悪いことをする子を見つけると、連れさってしまう。

ゾンビ（ハイチほか）
魔術師によって、よみがえった死体。ふらふらと歩きまわる。

チュパカブラ（メキシコ）
背中にするどいとげをもつ、は虫類のような怪物。ヤギをおそって血をすう。

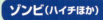

南アメリカ

シタバイ（メキシコ）
メキシコなどの地域にのこる、マヤ文明の伝説にあらわれる悪霊。人の姿に変身する。

カマプアア（ハワイ）
その鼻でハワイの山々を高くし、ひずめで湖をほったと伝えられる、ブタの神さま。

ヤクママ（ブラジル）
アマゾン川にすむ大蛇。大きな口をひらき、人や船をすいこんでしまうという。

エル・クエロ（チリ）
巨大なウシの皮の姿をした怪物。人におそいかかり、生き血をすうという。

イプピアーラ（ブラジルほか）
頭がアザラシ、上半身は人、下半身は魚の姿をした怪物。海をうろつき、人をおそう。

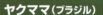

モンスターや妖精などとよばれるいろいろな妖怪がいるぞ！

悪霊もいるわ！

神話の世界や物語などにたくさん登場する妖怪たち。その恐ろしい習性や、おどろくべきひみつとは？さあ、世界の妖怪さがしに出かけよう。

マンプブニョルの巨人（ロシア）
雪におおわれた山頂にいる、石にされてしまった巨人。

アルマス（ロシア）
寒いシベリアにすみ、全身長い毛でおおわれている。めったに人前にあらわれない。

アジア

東アジア

モンゴリアン・デス・ワーム（モンゴル）
巨大なミミズのような体をしている。強力な毒をはき、人や動物をおそう。

麒麟（中国）
馬のような姿をして、雲の上をあるく妖怪。見た人に幸運をもたらすという。

九尾狐（中国）
尾が9本もあるキツネの妖怪。頭がよく、人をだましたり、化けたりする。

トッケビ（韓国）
いたずらが好きな小さな鬼。姿をけしたり、悪ふざけをしたりする。

鬼（日本）
疫病や災害をもたらすといわれる、恐ろしい…

河童（日本）
頭の上の皿には、怪力の元になる水がはいっているという。日本全国の川にいる妖怪。

一目五先生（中国）
この5匹に出会ってにおいをかがれると、病気になってしまう。

キョンシー（中国）
人の血をすうゾンビ（死体妖怪）。夜にピョンピョンはねながら人をおそいにやってくる。

獏（日本）
いろいろな動物のとくちょうをあわせもった姿で、人の悪い夢を食べてくれるという。

ポンティアナック（マレーシアほか）
ジャングルをうろつき、子どもの血をすうという女の吸血妖怪。

ローペン（パプアニューギニア）
コウモリのような翼と、長いくちばしをもつ空を飛ぶ怪物。腐りかけた人間の体が大好物。

メジェンクワアド（マー…）
女の悪魔妖怪。赤ち…だ女性にやさしくしな…悪魔になってしまうと…

南アジア

チンシー（ミャンマー）
寺院をまもる巨大な獅子。たいてい2頭が1組になってあらわれる。

フープ・スネーク（オーストラリア）
毒をもつヘビ。体を丸くして、ころがりながらえものをおいかける。

ヨーウィー（オーストラリア）
大きな足あとが見つかるくらいで、あまり姿をあらわさない森にすむ野人。

トゥイ…
…と頭を…という、…

オセア…

モージュウィンク（オーストラリア）
ジュゴンに似た半魚人。川の大きな藻などのなかに、かくれすんでいるという。

ヤラ＝マ＝ヤー＝フー（オーストラリア）
突然人にとびかかり、その長い手とあしの先につく吸盤で、血をすいとるという。

クランガイトゥク（ニュージーランド）
体は女性、頭と翼が鳥の姿をした鬼の怪物。翼には、するどいかぎづめがある。

タニファ（…
先住民族マ…らわれる怪獣…人をおそう。

もっと妖怪をさがせ！

これらの妖怪たちも、この本のなかにひそんでいるぞ。前のページにもどって見つけてみよう。こたえは25ページに！

1 アルクラ

2 オオカミ男

3 フランケンシュタイン

4 てんぐ（天狗）

5 ぎゅうまおう（牛魔王）

6 コカトリス

7 フック

8 アメミット

9 おに（鬼）

10 そんごくう（孫悟空）

11 プラットアイ

●イラスト
後藤範行（表紙・扉・目次・p26〜31）
田川秀樹（p4・5、p20・21）
曽根悦子（p6・7）
はんだ みちこ（p8・9）
やまおか ゆか（p10・11、p14・15）
鈴木アツコ（p12・13、p18・19）
かわいち ともこ（p16・17）

●装丁・本文デザイン─坂田良子
●構成・編集─────グループ・コロンブス

●参考資料
『世界モンスターMAP』スチュアート・ヒル/絵　サンドラ・ローレンス/文
　小林美幸/訳（河出書房新社）
『幻獣 神話と伝説のいきもの』百々佑利子/監修　高田美苗/絵（グラフィック社）
『世界恐怖図鑑4』バーバラ・コックス／スコット・フォーブス/著　ナカイサヤカ/訳（文溪堂）
『大迫力!世界の妖怪大百科』山口俊太郎/著（西東社）
『図解大事典 世界の妖怪』ながたみかこ/監修・執筆（新星出版社）

びっくり迷宮博物館
世界の妖怪をさがせ！

2019年3月15日　　　第1版第1刷発行
2019年9月30日　　　第1版第2刷発行

編　著─グループ・コロンブス

発行所─WAVE出版
　　　　〒102-0074
　　　　東京都千代田区九段南3-9-12
　　　　TEL 03-3261-3713
　　　　FAX 03-3261-3823
　　　　振替　00100-7-366376
　　　　E-mail : info@wave-publishers.co.jp
　　　　http://www.wave-publishers.co.jp

印刷・製本…図書印刷株式会社

©WAVE Publishers Co.,Ltd. 2019　Printed in Japan
NDC913　32p　30cm　ISBN978-4-86621-185-5

落丁・乱丁本は小社送料負担にてお取りかえいたします。
本書の一部、あるいは全部を無断で複写・複製することは、法律で認められた場合を除き、禁じられています。また、購入者以外の第三者によるデジタル化はいかなる場合でも一切認められませんので、ご注意ください。